l'italian(
con la
pubblicità

Daniela Lombardo | Laura Nosengo | Anna Maria Sanguineti

Imparare l'italiano
con gli spot televisivi

elementare e

Guerra Edizioni

I edizione
© Copyright 2004 **Guerra** Edizioni Perugia

ISBN 88-7715-684-8

Guerra Edizioni
via Aldo Manna, 25 - Perugia (Italia)
tel. +39 075 5289090
fax +39 075 5288244
e-mail: geinfo@guerra-edizioni.com
www.guerra-edizioni.com

Progetto grafico
salt & pepper_perugia

Indice

Si ringraziano per la gentile concessione di utilizzo degli spot:

- "Archivio Storico Barilla - Parma"
- Melinda
- Ufficio Nazionale per il Servizio Civile
- Salumi Beretta
- Consorzio Prosciutto di Parma
- Doria

I simboli

= da solo

= in gruppo

= a coppie

= discussione

= video

Unità Introduttiva

Lessico: terminologia relativa alla pubblicità (anche termini anglofoni e neologismi).

Funzioni: conversazione su temi quotidiani, abitudini, scelte negli acquisti e nello stile di vita.

 1. Conosci marche italiane di vestiti o accessori di moda?
Fai una lista con i compagni.

E tu, quanto sei "firmato/a"?
Indossi abiti firmati, hai accessori di moda?

 2. Fai un sondaggio tra i tuoi compagni.

OGGETTO	FIRMATO	NON FIRMATO	MARCA
Borsa			
Giacca			
Jeans			
Maglia			
Scarpe			
Orologio			
Occhiali			
Telefono			
....			
....			

 3. Ora confronta i tuoi risultati con quelli dei compagni.
Qual è l'immagine del gruppo?

Siete un gruppo "firmato"? - SI - NO - Perché? Discuti con gli altri.

È importante indossare capi firmati:

- sul luogo di lavoro o in vacanza per mostrare le proprie possibilità finanziarie
- per stare bene con se stessi
- perché questi prodotti mi piacciono veramente più di altri
- perché i prodotti sconosciuti spesso sono di qualità inferiore

4. In pubblicità si usano molte parole inglesi: sai dare una spiegazione in italiano? Puoi guardare le definizioni scritte sotto, ma attenzione, non sono in ordine!

a) SLOGAN _____

b) TESTIMONIAL _____

c) TARGET _____

d) SPOT _____

e) JINGLE _____

A) personaggio che rappresenta un prodotto
B) breve pezzo musicale che accompagna il messaggio pubblicitario
C) obiettivo, destinatario del messaggio pubblicitario
D) dallo scozzese "grido di guerra": frase pubblicitaria che attira l'attenzione su un prodotto
E) filmato pubblicitario trasmesso in TV

5. Leggi giornali e riviste? Completa la tabella con i tuoi dati:

TIPO DI RIVISTA E/O GIORNALE	SPESSO	QUALCHE VOLTA	QUASI MAI	MAI
Quotidiano				
Riviste femminili				
Riviste sportive				
Riviste di viaggi				
Riviste specializzate in auto o moto				
Riviste sulla natura				
Riviste di cucina				
Riviste di politica, cultura e società				

 6. Confronta i tuoi risultati con quelli dei compagni. Quali sono le riviste che leggete di più?

7. Su quali riviste si possono trovare le pubblicità di questi prodotti? Perché? Discuti con i compagni.

PRODOTTO	TIPO DI RIVISTA	TIPO DI LETTORE
Scarpe da trekking		
Carte di credito	*di economia*	*uomo d'affari*
Crema abbronzante		
Computer		
Valigie e borse		
Accessori per auto		
Prodotti di bellezza non testati su animali		
Maionese		
Viaggi		
Giocattoli		
Abbigliamento sportivo		
Motorino		

8. Leggi i seguenti slogan pubblicitari e, parlando con i compagni, prova a indovinare che cosa pubblicizzano.

(Se proprio non riesci a indovinare, trovi le soluzioni sotto, in ordine sparso...)

- *Il metano ti dà una mano* _____

- *Il tuo capo dice che sei bravo, intelligente, ambizioso. Come mai hai un capo?*

  _____ _____

- *Aperol: allegro aperto aperitivo* _____
- *Migliore il clima, migliori voi* _____
- *Mare mosso ... mare pronto* _____
- *Sei nuove piccole tentazioni. Un grande piacere* _____
- *Tre minuti e i capelli si nutrono di una nuova forza* _____
- *Lava più bianco del bianco* _____

  [*detersivo – pesce in scatola – bevanda – gelati – shampoo – corso di auto-miglioramento per dirigenti – gas metano – climatizzatore*]

9. Dividetevi in due gruppi. Ciascun gruppo scrive uno slogan famoso nel proprio Paese o lo inventa. Poi lo propone all'altro gruppo, che deve indovinare a quale prodotto si riferisce.

10. A casa, cerca su giornali e riviste italiani alcuni slogan pubblicitari. Portali in classe e ripeti il gioco precedente.

 11. Rifletti sull'uso degli slogan. Segna le ipotesi che ti sembrano giuste e discuti poi con i compagni.

Lo slogan:
- spiega le caratteristiche di un prodotto
- promette meraviglie
- è un messaggio breve

12. Osserva la seguente pubblicità, poi rispondi alle domande, motivando le tue risposte:

Archivio Storico Barilla – Parma

a) Il messaggio è principalmente basato:

- sullo slogan

- sull'immagine

b) L'immagine fa pensare:

- a una casa di campagna

- a una casa di città

- alle verdure comprate al mercato/al supermercato/del giardino

- a una famiglia numerosa/un single

c) Lo slogan parla dell'*infedeltà*. Perché? _____

_____

d) Qual è la tua opinione sul prodotto? Hai voglia di provarlo? Perché?

_____

13. Osserva ora questa pubblicità di biscotti e rispondi alle domande.

PIU' FIBRE
PER MANGIARE SANO

Fibra naturale. I suoi benefici riguardano tutte le principali funzioni dell'organismo per aiutare a mantenere in salute il tuo corpo. Fibra naturale. Due parole che vogliono dire altre parole: sali minerali, vitamine, proteine, enzimi, tutti presenti con la fibra dei cereali, nell'involucro esterno di ciascun chicco. Grancereale è in una parola tutto questo: oltre il 60% di farina integrale e fiocchi d'avena interi, per avere tutto il sapore ed i benefici dei cereali e della fibra.

Archivio Storico Barilla – Parma

a) Leggi solo la scritta sul pacchetto. Che cos'è "Grancereale"?

_____

b) Cerca sul dizionario il significato della parola *fibre* e scrivilo qui:

_____

c) Leggi ora con l'aiuto dell'insegnante il testo sotto all'immagine. Elenca qui i

componenti del biscotto: _____ *vitamine* _____ _____

_____ _____

_____ _____

_____ _____

d) L'informazione, secondo te, è completa? _____

e) La pubblicità suggerisce che:

- il biscotto fa bene alla salute

- il biscotto rappresenta la salute

- il biscotto è naturale

f) Su quale elemento si basa il messaggio? Scegli fra questi suggerimenti e motiva
   la tua risposta:

   - prodotti naturali contenuti nel prodotto - difesa dell'ambiente

   - importanza della salute   - bontà del biscotto

Perché? _____

g) A chi è destinato il messaggio? Scegli fra le risposte proposte:

   - alle mamme   - agli sportivi

   - ai bambini   - alle famiglie

   - ai medici   - altro: _____

h) Che cosa significa l'espressione *"essere il ritratto della salute"*?

   - avere un aspetto sano e salutare

   - sembrare in ottima salute anche quando non lo siamo

  **14. A coppie, scegliete un prodotto e create una pubblicità; poi
presentatela al resto del gruppo. Tutte le pubblicità presentate
riceveranno un voto, basato su:**

- efficacia dello slogan
- spiegazione delle caratteristiche del prodotto
- uso del colore
- chiarezza dell'obiettivo

Vince la coppia che ottiene la votazione più alta: tutti compreranno il prodotto!

 15. Discuti con i compagni:

Qual è l'immagine della donna nella pubblicità oggi?

16. Leggi il seguente testo sulla pubblicità, e indica se le frasi sono vere o false.

La donna nella pubblicità.

Giornali, cinema, televisione e pubblicità mostrano due tipi ben diversi di donne: le donne grasse (di solito, mogli, suocere, casalinghe) e le modelle magrissime, perfette e curate.

Le prime possono fare la pubblicità di un bel ragù alla bolognese, di un bucato sempre più bianco, di un aspirapolvere ultimo modello; non si prendono cura di se stesse, hanno bambini antipatici e viziati. Poi ci sono le modelle: fanno la pubblicità alle auto sportive, alla birra, alla biancheria intima, al cibo dietetico; sono donne in carriera, sempre perfette, eleganti (anche in cucina sembrano vestite da Armani), portano tacchi altissimi e vanno in palestra e nei centri di bellezza.

Ma quali sono le donne vere, quelle che conosciamo e incontriamo tutti i giorni?

La pubblicità mostra la realtà oppure soltanto stereotipi*?

* Stereotipo: immagine fissa, modello che non cambia

1. La pubblicità presenta donne grasse e donne magre _____

2. Le donne grasse sono modelli per tutte _____

3. Le donne magre e le donne grasse della pubblicità vanno in palestra _____

4. I bambini nella pubblicità sono sempre simpatici e sorridenti _____

17. Leggi le definizioni e cerca nel testo che hai letto le parole a cui si riferiscono:

- *condimento per la pasta a base di carne e pomodoro* _____

- *elettrodomestico che raccoglie la polvere* _____

- *dedicare attenzioni e cure* _____

- *luogo dove si va per migliorare l'aspetto fisico* _____

- *abituato ad avere tutto* _____

18. Completa le seguenti frasi utilizzando i vocaboli:

1. Chi _____ delle tue piante quando vai in vacanza?

2. Non voglio più invitare i bambini di Maria, sono troppo _____!

3. Prima di uscire, devo passare l' _____.

4. Che cosa hai preparato per cena? Spaghetti con il _____.

5. Questa primavera voglio passare una settimana di assoluto relax:

ho prenotato in un _____.

19. Come sono rappresentati in pubblicità gli uomini, i bambini, gli anziani? Cerca immagini e spot e scrivi un breve articolo.

20. TEST. Quanto è presente la pubblicità nella tua vita? Rispondi sinceramente e senza pensarci troppo alle seguenti domande, poi calcola il punteggio e leggi il tuo profilo.

a) Quando devi scegliere un dentifricio al supermercato, che cosa guardi?
   A la marca
   B il contenuto del prodotto
   C i colori della scatola

b) Nella scelta di un'automobile nuova, quali elementi sono importanti?
   A prezzo e marca
   B qualità e prezzo
   C marca e caratteristiche

c) Ti hanno regalato un cellulare, ma vedi in TV che ora un modello nuovo ha molte più funzioni:
   A non importa, quello che hai va benissimo
   B lo cambi, ma senza dirlo alla persona che te lo ha regalato
   C non lo cambi, ma ci pensi continuamente

d) Ci tieni[1] ad avere jeans, giacche, camicie, maglioni firmati?
   A per niente: cerchi sempre di essere diverso/a dagli altri
   B non molto, ma se un vestito firmato ti piace non esiti a comprarlo
   C sì, naturalmente: "l'abito fa il monaco!"[2]

e) Quale tipo di merenda è adatto a un bambino che va a scuola?
   A una merendina[3] pronta
   B una fetta di torta fatta in casa
   C soldi per comprare quello che vuole

1   consideri importante
2   L'abito non fa il monaco: proverbio che indica come non si può giudicare una persona dall'aspetto.
3   spuntino, piccolo dolce confezionato

f) Devi comprare un paio di occhiali da sole. Che cosa fai?
   A vai dal tuo ottico[4] di fiducia e provi molti modelli diversi
   B ricordi quelli di un famoso attore/attrice e li compri subito: tutti dicono che vi assomigliate!
   C vai con un amico/a e ti fai consigliare

g) Vuoi andare in vacanza con la tua famiglia, ma non riuscite a mettervi d'accordo sulla località.
   A andate in un'agenzia di viaggio, spiegate le vostre necessità e accettate il consiglio dell'esperto
   B scegliete a caso (e con gli occhi chiusi) una località sul mappamondo[5]
   C sfogliate tanti cataloghi e riviste e scegliete

h) Ti piace la Ferrari
   A perché è rossa
   B perché ha un motore e delle capacità straordinari
   C perché rappresenta successo, soldi, splendide donne e bella vita

Ora calcola il tuo punteggio:

Domanda	A	B	C
a	3	1	5
b	5	3	1
c	1	5	3
d	1	3	5
e	3	1	5
f	1	5	3
g	3	1	5
h	3	1	5

QUAL È IL TUO PROFILO?

Profilo 1 (da 40 a 31 punti): La pubblicità ti condiziona molto forse lo sai e non ti importa, oppure non te ne rendi conto. Non compri niente se non è firmato o alla moda. Prova a creare un tuo stile più personale.

Profilo 2 (da 30 a 16 punti): Qualche volta la pubblicità ti condiziona, ma riesci a decidere con la tua testa. Cerca di migliorare ancora, leggi le qualità dei prodotti prima di comprarli.

Profilo 3 (da 15 a 8 punti): Complimenti! La pubblicità non ti influenza per niente! Ma come fai? Sei sicuro/a di vivere nel nostro mondo?

4 persona che vende occhiali o lenti
5 rappresentazione della superficie terrestre

 21. Prova a scrivere un breve testo sulla pubblicità; spiega a che cosa serve, dove la trovi, a chi è indirizzata, ecc. Se vuoi, usa questi vocaboli:

- *comunicare, informare, persuadere, comprare, attirare l'attenzione, acquistare, convincere, conoscere, migliorare, ecc.*
- *originale, divertente, migliore, esagerato, colorato, ecc.*
- *emozioni, linguaggio visivo, linguaggio verbale, idee, modelli, messaggio, desideri, ecc.*

2

Mele Melinda

Lessico: nomi di frutti, di alberi, espressioni idiomatiche con nomi di frutti.

Funzioni: raccontare una storia al presente e al passato, lamentarsi per un danno subito.

Grammatica: *la frutta, il frutto, i frutti.*

Unità 2

 1. Guarda queste foto di frutti: quali preferisci?

"mela"

"pera"

"banana"

"pesca"

"arancia"

"ciliegia"

"albicocca"

"castagna"

ALBERI DA FRUTTO

melo · pesco · castagno · arancio · pero · banano · albicocco · ciliegio

2. Completa la tabella indicando per ogni foto il nome del frutto, l'albero che lo produce, il colore e la stagione in cui si mangiano

NOME DEL FRUTTO	ALBERO	COLORE	STAGIONE O MESE
1			
2			
3			
4			
5			
6			
7			
8			

Mi piace molto LA FRUTTA
La ciliegia è un FRUTTO estivo.
Le arance e i mandarini sono dei FRUTTI invernali.

Che differenza c'è tra FRUTTO/I e LA FRUTTA?

3. Completa le frasi con FRUTTA, FRUTTO, FRUTTI e gli articoli giusti:

1. Non mi piace mangiare _____ a fine pasto. Preferisco prendere

   _____, per esempio una banana, 10 minuti prima di mettermi a tavola.

2. Ti piace _____ esotica?

3. Ananas, avocado e mango sono _____ miei _____ esotici preferiti.

4. Guarda ancora la tabella (attività 2). Che differenza puoi notare tra il nome del frutto e il nome dell'albero corrispondente?

Ora trasforma al singolare o al plurale le seguenti frasi:

1. Questo limone è acido. _____

2. Le mele sono ancora acerbe. _____

3. Nel giardino ci sono aranci in fiore. _____

4. Queste pesche sono mature. _____

5. I peschi sono alberi bellissimi. _____

6. L'ananas è un frutto esotico. _____

5. Leggi e completa questo proverbio: secondo te quale nome di frutto manca?

Una _____ al giorno leva il medico di torno (= Se mangiamo una

_____ ogni giorno, stiamo bene e quindi non abbiamo bisogno

di andare dal dottore)

6. Ora trova la definizione giusta di queste espressioni:

Essere una mela marcia   Avere la cellulite
Avere la pelle a buccia d'arancia   Essere un elemento corrotto in un gruppo
Farsi una pera   Avere la pelle liscia
Avere una pelle di pesca   Drogarsi con una siringa

7. Guarda lo spot. *DI 2 VISIONI I FARIS SPOT*

Cosa fa il cane? _____

Cosa fa la ragazza? _____

Cosa fa il signore grasso? _____

Secondo te, come finisce? _____

8. Ora guarda tutto lo spot. Avevi indovinato la fine?   *1 v. SPOT INTERO*

9. In 3 squadre. Scrivete il maggior numero di: *4 v. SPOT INTERO*

squadra A
azioni (es. MORDERE)

squadra B
colori (es. VERDE)

squadra C
oggetti e vestiti (es. PANTALONCINI)

Ora confrontate quello che avete trovato.

10. Guarda ancora una volta lo spot e, con l'aiuto delle parole trovate   *1 v.*
dai 3 gruppi, racconta cosa succede (al presente e al passato).   *SPOT INTERO*

 11. A coppie immaginate il dialogo tra la ragazza e il signore grasso che si lamenta perché il cane lo ha morso.

| scandaloso | denuncia | pagare/chiedere i danni | rimborsare | polizia |

Signore grasso: *"Ahi!! Che male!!"*
Ragazza: *"Oh, mi dispiace "...*

_____

_____

_____

_____

 12. Cosa pensi di questo spot?

Perché, secondo te, i personaggi sono un signore grasso e una ragazza magra?
Secondo te usare l'immagine di un animale nella pubblicità fa vendere di più? Perché?
Lo slogan alla fine dello spot è: " **MELINDA VUOL DIRE MORDIMI**". Che relazione ha con la storia?

 13. Un altro slogan di Melinda è "MOLTO DI PIÙ DI UNA SEMPLICE MELA"
Cosa vuol dire?

Una mela Melinda non è come le altre
Una mela Melinda non è solo una mela
Una mela Melinda fa bene

 14. Quali sono le qualità di una mela?

Scegli tra queste:

fa bene

è buona

è difficile da conservare

è dolce

è calorica

è cattiva

fa male

è amara

è facile da conservare

ha pochi grassi

15. Ora, con un compagno, scrivi uno slogan per vendere una mela.

 16. Leggi l'articolo e rispondi alle domande:

La mela nasce in Asia Minore, a sud del Mar Nero, e arriva in Grecia passando per l'Egitto dove, sotto il regno del faraone Ramsete II (XIII secolo a.C.), è coltivata lungo le vallate del Nilo. Da qui la coltura arriva poi in Grecia e, successivamente, a Roma.

È uno dei frutti più antichi, coltivata probabilmente già nel periodo neolitico. Citata nella Bibbia come il frutto proibito, la mela assume uno straordinario valore simbolico anche attraverso la mitologia soprattutto greca. La mela è infatti protagonista di numerosi miti dell'antichità: nella sua undicesima fatica Ercole riesce a prendere i pomi d'oro [= le mele] del giardino delle Esperidi; quando gli dei dell'Olimpo invecchiavano, mordevano una mela per recuperare la gioventù; è a causa di questo frutto (donato da Paride a Venere) che inizia la guerra di Troia. La mela si è diffusa rapidamente in tutta Europa. Nel XVI secolo arriva in America, rendendo lo Stato di New York famoso per la qualità dei frutti prodotti.

Adattato da www.melinda.it

Dov'è nata la mela?
Come è arrivata in Grecia?
In quali famosi miti la protagonista è una mela?
Quando arriva in America?

Servizio Civile

Lessico: professioni, tempo libero, impegno e volontariato.

Funzioni: chiedere e fornire informazioni sulla professione, parlare del tempo libero.

Grammatica: avverbi e espressioni di frequenza, preposizioni.

2 - 3 VOLTE I PARTE SPOT 1

3   3 VOLTE I PARTE SPOT 2

4   2 VOLTE I PARTE SPOT 1+2

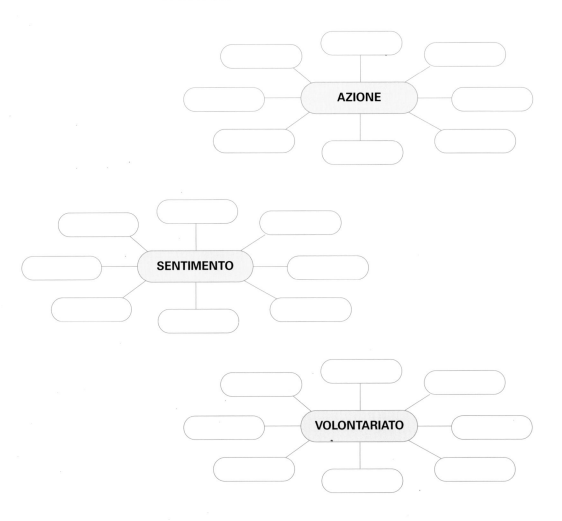

AZIONE

SENTIMENTO

VOLONTARIATO

2. Guarda la prima parte del primo spot per tre volte; che cosa pubblicizza, secondo te? Scrivi la tua ipotesi.

_____

3. Ora guarda una parte del secondo spot e, se necessario, modifica la tua ipotesi.

_____

4. Ora guarda ancora gli spot e verifica la tua ipotesi.

_____

5. A coppie, descrivete cosa fanno Luca e Chiara, basandovi su questi elementi: *ambiente (dentro/fuori), clima, persone che si trovano con loro, atteggiamento (allegro, triste, impegnato, divertito, ecc.), altro.*

Luca _____

Chiara _____

6. Leggete le vostre descrizioni agli altri studenti: si assomigliano? Discutete insieme.

7. Quali sono le professioni di Luca e Chiara nello spot?

_____ e _____

Unità 3

 8. Completa la tabella che segue, inserendo i nomi delle professioni, le azioni e il luogo, come nell'esempio.

PROFESSIONE	AZIONE	LUOGO
Vigile	*dirigere il traffico*	*città*
Allenatore	preparare gli atleti	
Stilista	disegnare abiti	
		scuola
Cuoco		
Giardiniere	curare i fiori	
		ospedale
Ferroviere	controllare i biglietti	
Tenore		
		ufficio
Commesso		
Operaio		
Autista		

 9. Ora scrivi delle frasi inserendo la preposizione corretta.

1. *Il vigile dirige il traffico in città.*

2. _____

3. _____

4. _____

5. _____

6. _____

7. _____

8. _____

9. _____

10. _____

11. _____

12. _____

13. _____

 10. Giochiamo! A turno, ogni studente deve rispondere a domande sulla sua professione. Ma attenzione! Può rispondere solo SI o NO, senza dare altre informazioni. Gli studenti riempiono la tabella che segue e vince chi indovina il maggior numero di professioni (naturalmente, possono essere inventate!). es. lavori anche di notte? Sì

NOME	AZIONE	LUOGO	ALTRO	PROFESSIONE

Unità 3

 11. Osserva ancora gli spot. Le attività di questi ragazzi sembrano divertenti, quasi degli hobby. Aggiungi nelle tabelle che seguono altri passatempi che conosci:

IN CASA

Leggere, cucire, navigare su internet, cucinare, ...

ALL'APERTO

Lavorare in giardino, passeggiare, fare shopping
Andare al cinema/a teatro/in discoteca ...

SPORT

Giocare a tennis/a calcio/a ping pong ...

---

 12. Come passi il tempo libero? Scrivi qualche frase.

Nel tempo libero io _____

_____

_____

 Confronta con i compagni.

13. Completa le seguenti frasi usando le espressioni e gli avverbi di frequenza del riquadro.

tutti i giorni - una volta - due o tre volte - spesso - sempre - qualche volta - mai - raramente - di solito

1. Paolo gioca a pallanuoto e si allena _____ .

2. A me piace lavorare in giardino quando ho un po' di tempo: almeno

_____ alla settimana.

3. Giovanni e Luca sono appassionati di Formula 1 e vanno a vedere la Ferrari almeno

_____ all'anno.

4. Vado all'opera _____ perché il teatro è molto lontano dalla mia città.

5. Non puoi certo dimagrire se non vai _____ in palestra!

6. Carla ed io ci sentiamo spesso anche se siamo lontane: _____ chiama

lei, ma _____ le telefono io dall'ufficio.

7. Vai al cinema? Sì, _____, praticamente tutti i fine settimana.

8. Vi dovete alzare presto? Purtroppo sì, _____, perché andiamo a

lavorare fuori città.

14. Osserva. Cerca il significato della parola *obiettore** sul dizionario e scrivilo qui: _____

_____

_____

15. Verifica con gli altri studenti le ipotesi dell'attività 2. Discuti con loro.

*Il servizio militare in Italia è obbligatorio per i ragazzi nati fino al 1985, poi non lo è più; il Servizio Civile si sta proponendo come propedeutico al lavoro o come orientamento per i giovani che non sanno cosa fare nella vita; per questo è aperto anche alle ragazze che, comunque, non hanno mai fatto il servizio militare.

Unità 3

  16. Ascolta gli spot e completa i testi:

1° SPOT:

Voce: "Vi ricordate _____ Luca e Chiara? Cosa _____ adesso? Luca è un allenatore di _____, Chiara è una stilista molto _____."
"Sei un obiettore o una _____ fra i 18 e 26 anni? Col Servizio _____ aiuti gli altri, _____ prepari al lavoro e fai una _____ che ti cambia la vita."
Luca: "La tua".
Chiara: "E _____ degli altri."

2° SPOT:

Voce: "Una scelta che _____ la vita. Avventura – azione – sentimento.
Una scelta che cambia la vita. E il _____ sei tu."
Luca e Chiara: "Io?"
Voce: " Certo. Un anno _____ noi passa in _____, ma resta per tutta la vita.
Ti prepari al lavoro, _____ ad aiutare gli altri. Se sei un _____
o una ragazza fra i 18 e i 26 anni, _____ il Servizio Civile."
Chiara: "Lo sai che sei cambiato _____ meglio?"
Voce: "Servizio Civile: una scelta che cambia la vita."
Chiara: "La tua."
Luca: "E quella degli altri."

 17. Che cosa fanno, secondo te, i giovani che scelgono il Servizio Civile? Completa:

aiutano i portatori di handicap[1], _____

_____

_____

18. Cos'è il Servizio Civile? Esiste nel tuo Paese?

.

[1] *Persone con un grave problema fisico o psichico.*

19. Scrivi un breve testo e spiega come funziona il Servizio Civile nel tuo Paese; confronta con quello di altri Paesi.

_____

_____

_____

_____

20. A gruppi di tre studenti (due attori e un regista) provate a recitare gli spot, osservandoli senza ascoltare. Attenti all'intonazione!

Salumi Beretta

Lessico: prodotti alimentari.

Funzioni: esprimere sorpresa, delusione, insofferenza attraverso l'intonazione.

Grammatica: *c'è, ci sono,* partitivi, presente indicativo verbi III coniugazione.

Unità 4

 1. Di chi è il frigo?

Mammone   Artista   Vegetariano   Top Model   Mamma

FRIGO 1	FRIGO 2	FRIGO 3	FRIGO 4	FRIGO 5
1 carota	1 contenitore ermetico con lasagne al forno	Nutella	1 pizza di ieri	2 peperoni biologici
1 yogurt magro	1 contenitore ermetico con pollo con patate	8 litri di latte	2 birre aperte	1 bistecca di soja
insalata	1 torta di mele	12 succhi di frutta	vodka	10 kiwi
2 succhi di pompelmo senza zucchero	2 bottiglie di vino del nonno	24 uova	olive	10 arance
3 pomodori	1 contenitore ermetico con insalata già lavata	patatine surgelate		verdura
1 mela	1 litro di latte	8 hamburger		2 litri di latte di soja

2. Ora prova a riscrivere le liste dei frigoriferi usando c'è/ci sono e del/ dello/dell'/della/delle/degli/dei

Nel frigo
- **ci sono delle** lattine di coca-cola
- **c'è del** latte con cacao...

_____

_____

_____

3. Cosa c'è, secondo voi, dentro il frigo di:

Uno studente
Una signora anziana sola
Uno sportivo
Una famiglia con due figli piccoli

4. Cosa c'è nel tuo frigorifero? Fai una lista di quello che non manca mai:

_____

_____

_____

5. Ora confronta il tuo frigo con quello di un compagno.

6. Guarda gli spot dei salumi Beretta. Che cosa hanno in comune?

I TUTTI GLI SPOT

Unità 4

I TUTTI GLI SPOT

 7. Indica se le seguenti affermazioni sono vere o false:

La persona che parla, ma che non si vede mai, è sempre un familiare.
I salumi Beretta sono sempre incollati con lo scotch dietro qualcosa.
In alcuni spot la persona che apre il frigo riesce a trovare i salumi Beretta.

2 TUTTI GLI SPOT

**8. A squadre fate una lista di quello che vedete dentro il frigo.
Vince chi ne trova di più.**

_____

_____

_____

_____

4 TO MI GLI SPOT

9. Ascolta! Quale di questi tre è lo slogan finale di tutti gli spot?

Salumi Beretta, spariscono in fretta
Salumi Beretta, si consumano in fretta
Salumi Beretta, partono in fretta

Sparire in fretta= finire rapidamente

10. Completa l'esercizio:

1. Tutte le cose buone (finire)_____ rapidamente.

2. A che ora (partire) _____ domani?

3. Non (capire) _____ perchè non vedo più il salame in frigo!

4. Paola, mi (spedire) _____ il libro?

5. Sono quasi pronta; (vestirsi) _____ e possiamo uscire.

6. (innervosirsi/io) _____ quando mi rispondono male.

7. (finire/noi) _____ di fare l'esercizio.

8. (sentire/noi) _____ caldo; (aprire/voi) _____

la finestra per favore?

9. Quando c'è da lavorare Paola (sparire) _____ in fretta.

10. Se (seguire/voi) _____ attentamente le spiegazioni

dell'insegnante_____ (capire/voi) tutto.

1 COMPAUCA TRA TUM' GLI SPOT

11. Completa la tabella, indicando per ogni spot qual è la relazione tra le due persone e qual è il prodotto pubblicizzato:

affettati - salamini - prosciutto cotto - cubetti di pancetta affumicata - cacciatore (salame) - antipasti

SPOT	LA PERSONA CHE CERCA I SALUMI	L'ALTRA PERSONA	IL SALUME
1	Marito	Moglie	Affettati
2			
3			
4			
5			
6			
7			
8			
9			
10			
11			

Unità 4

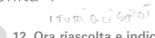

I TUTTI OLI SPOT

12. Ora riascolta e indica se le affermazioni sono vere o false:

		Vero	Falso
Spot 1.	L'uomo vuole bere una birra	☐	☐
Spot 2.	La coppia non ha figli	☐	☐
Spot 3.	La mamma non è contenta perché la casa non è pulita	☐	☐
Spot 4.	Il ragazzo cerca il prosciutto crudo Beretta	☐	☐
Spot 5.	Il ragazzo si ricorda di aver mangiato l'antipasto Beretta il giorno precedente	☐	☐
Spot 6.	Secondo la mamma per fare la carbonara sono necessari i cetrioli	☐	☐
Spot 7.	Il ragazzo è figlio unico	☐	☐
Spot 8.	Il figlio esce troppo con la fidanzata	☐	☐
Spot 9.	Il ragazzo abita con un altro ragazzo	☐	☐
Spot 10.	Il ragazzo chiede chi ha mangiato il prosciutto crudo	☐	☐
Spot 11.	La moglie dice che ha visto Babbo Natale	☐	☐

13. Prova a completare i dialoghi degli spot con le parti che mancano:

SPOT 1

A: - _____, hai comprato gli affettati Beretta?

B: - _____ _____

A: Allora mi faccio una birra!

B: No, lì no!

SPOT 2

A: - _____ i salamini Beretta?

B: Li ha mangiati _____ _____

A: - _____un figlio?!

B: - Ma no, dai, lì _____il grana.

A: - Un figlio dietro il grana?!

SPOT 3

A: - _____ _____ il prosciutto cotto Beretta?

B: - Ah, non lo so, non devo mica sapere sempre tutto io, _____ _____,

carino, non è un _____.

SPOT 4

A: - E il prosciutto cotto Beretta?

B: - _____!

SPOT 5

A: - E l'antipasto Beretta?

B: - L'hai mangiato tu_____

A: - _____?!

SPOT 6

A: - Mamma, eh, _____ hai messo i cubetti Beretta? Eh, _____ fare la

carbonara.... come ci vanno i cetrioli nella carbonara? Ma sei impazzita!

SPOT 7

A: - Nonna

B: - _____ _____ _____?

A: - Ma il prosciutto cotto Beretta?

B: - L'ha preso _____ _____

A: - Ma io ____ _____ figlio unico? Mannaggia!

Mannaggia: esclamazione per indicare che non siamo contenti

Unità 4

SPOT 8

A: - Ma papà, il cacciatore Beretta?

B: - Ma non ce l'hai _____? _____con 'sta fissa del salame, esci un po'!

SPOT 11

A: - E i salamini Beretta?

B: - _____, Babbo Natale con la slitta! Ma non lì, _____

slitta: Babbo Natale la usa per muoversi

NOTA: I personaggi usano espressioni tipiche della lingua parlata che non usiamo generalmente nella lingua scritta. Es.: **mi faccio una birra = prendo una birra non...mica = non ...per niente, 'sta = questa,   non ce l'hai la fidanzata?= non hai la fidanzata?**

14. Riascolta. Con quale intonazione parlano i personaggi?

nervoso   arrabbiato   calmo   sorpreso contento deluso

SPOT	LA PERSONA CHE CERCA I SALUMI	Intonazione	L'ALTRA PERSONA	Intonazione
1				
2				
3				
4				
5				
6				
7				
8				
9				
10				
11				

15. Ora con un compagno recita i dialoghi: attenzione all'intonazione!

16. Scegli uno degli spot e, usando l'immaginazione, prova a presentare i personaggi:

Come si chiamano?
Quanti anni hanno?
Che lavoro fanno?
Come passano il tempo libero?

SPOT n. _____

A: _____

_____

_____

B: _____

_____

_____

Prosciutto di Parma

Lessico: la casa, il clima, descrizione delle persone.

Funzioni: parlare del tempo, descrivere un ambiente e una persona.

Unità 5

1. Lavorando a coppie, completa la seguente tabella, scrivendo i nomi dei compagni del gruppo e informazioni su di loro.

NOMI	io	....	....	....	....
Età					
Statura					
Occhi					
Capelli					
Pelle					
Mani					
Altre caratteristiche					
Abiti					
Scarpe					
Altro					

2. Ora scegli uno studente e descrivilo brevemente:

_____

_____

_____

_____

_____

3. Leggi a voce alta la tua descrizione (naturalmente, senza dire il nome della persona che hai scelto): gli altri dovranno indovinare il più rapidamente possibile di chi si tratta! Vince chi indovina per primo il maggior numero di descrizioni.

4. Osserva due volte la prima parte dello spot concentrandoti sul personaggio di Crudelia e completa il seguente schema con il maggior numero di informazioni su di lei:

Nome: *Crudelia*

Età: _____

Statura: _____

Occhi: _____

Capelli: _____

Pelle: _____

Altre caratteristiche fisiche: _____

Vestiti: _____

Scarpe: _____

Altro: _____

5. Confronta le informazioni che hai raccolto con quelle dei compagni; poi rispondi alle domande:

- Che personaggio ti ricorda Crudelia?
- Descrivi il suo carattere, usando, se necessario, questi aggettivi:

simpatico - giovane - allegro - nervoso - vecchio - antipatico - sorridente - falso - triste - crudele - orgoglioso - tranquillo - preoccupato - spaventato - violento - dolce - elegante

Secondo me, Crudelia è _____ perché _____
_____
_____
_____

6. Secondo te, quando guardiamo una persona, abbiamo già un'idea del suo carattere? Discutine con i compagni.

7. Ora osserva nuovamente la prima parte dello spot e concentrati sull'ambiente.

8. Di' se queste affermazioni sono Vere o False, dando spiegazioni per le tue scelte:

- La casa sembra molto grande.
- La sala è molto bene illuminata.
- L'arredamento della casa è ricco: ci sono molti mobili in stile.
- I colori dominanti sono il bianco e il rosso.
- L'atmosfera è calda e accogliente.

9. Osserva la piantina di questa casa. Indica i nomi delle stanze scegliendoli fra questi:

salotto - camera da letto - bagno - balcone/terrazzo - giardino - studio - cucina - ripostiglio - garage - ingresso

10. Metti gli oggetti nelle stanze giuste:

letto/ lavandino/ comodino/ TV/ divano/ libreria/ tappeto/ specchio/ quadro/ sedie/
tavolo/ frigorifero/ water/ forno/ poltrona/ cucina/ armadio/ ...

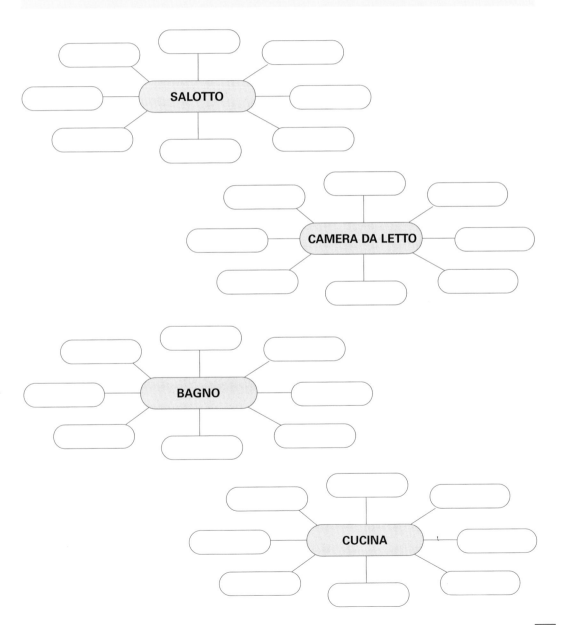

 11. Descrivi la tua casa ideale.

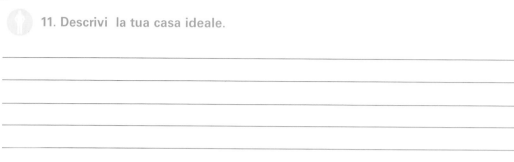

12. Discuti con i compagni sulle qualità che una casa deve avere. Ecco qualche suggerimento:

- qualità della vita
- spazio per i bambini
- giardino
- vicinanza al centro della città
- casa grande o piccola?
- luce

La casa di Crudelia ti piace? Perché?

13. Guarda ancora la prima parte dello spot, concentrandoti ora su quello che succede *fuori* dalla casa di Crudelia e completa la tabella:

ORA DEL GIORNO
Mese
Clima

 **14. Osserva queste foto e descrivi il clima e la stagione.**

INVERNO

PRIMAVERA

AUTUNNO

ESTATE

 15. Guarda ancora la prima parte dello spot: qual è la reazione di Crudelia all'offerta del prosciutto?

- lo rifiuta e lancia il povero Vito dalla finestra
- lo accetta, ma lancia ugualmente Vito dalla finestra
- lo accetta e lo mangia tranquillamente con Vito

Discuti con gli altri studenti.

 16. Ora guarda la seconda parte dello spot. Avevi indovinato?

Come è cambiata Crudelia? (abbigliamento, atteggiamento, ecc.).
Descrivila brevemente:

_____

_____

_____

Perché è cambiata?
Che cosa succede alle persone che mangiano il Prosciutto Crudo (dolce) di Parma?

6

Biscotti Doria

Lessico: la tavola, la prima colazione.

Funzioni: parlare di propri gusti, leggere e scrivere una ricetta, espressioni idiomatiche con "mano".

Grammatica: *mi piace, mi piacciono/anche a me, neanche a me, a me sì, a me no.*

1. Guarda questo disegno e abbina i nomi agli oggetti:

tazza, tazzina, piatto, piattino, cucchiaino, coltello, bicchiere, succo di frutta, caffè, latte, tè, miele, burro, marmellata, fette biscottate, biscotti, pane, frutta

Cosa preferisci a colazione?

2. Indica cosa mangi a colazione e confronta con un compagno.

DA MANGIARE	pane fresco	pane tostato	fette biscottate	crackers	biscotti
CON	marmellata	burro	miele	margarina	cioccolato
DA BERE	caffè	caffelatte	tè	cappuccino	cioccolata

3. Preferisci altre cose? Di' quali.

Prosciutto	Formaggio	Bacon	Uova	Salumi
....	....	....	....	....
....	....	....	....	....

4. Cosa si mangia nel tuo Paese? Racconta alla classe.

_____

_____

_____

5. Ascolta la pubblicità.
Quali nomi di prodotti alimentari hai sentito? Scegli tra questi:

zabaione
fetta biscottata
biscotto
burro
crema
cioccolato
cacao

6. Ascolta ancora e completa il testo con le parole mancanti:

Interrompiamo la pubblicità per comunicarvi che oggi c'è un nuovo Doricream,

_____ al _____ farcito di morbida _____ allo

_____. È pubblicità anche questa, sì, ma buona, molto buona. Con Doria,

siete in buone mani .

Farcito: pieno

7. Cosa significa?

"È pubblicità anche questa, sì, ma buona, molto buona."

Scegli tra queste possibilità:

- Questa pubblicità è fatta bene.
- Questa pubblicità è fatta bene e propone cose buone.
- Questa è una pubblicità normale.

 Discutine con un compagno.

 8. Guarda il secondo spot e scrivi quali oggetti ci sono sulla tavola.

_____

_____

_____

_____

9. Ascolta il testo e di' se questa affermazione è vera o falsa:

Vero   Falso

I Bucaneve Doria hanno 50 anni.   ☐   ☐

10. Leggi lo script e controlla la tua risposta:

New economy, new marketing, new technology, chiamatela pure controtendenza ma noi rimaniamo attaccati alla tradizione della bontà e sforniamo sempre i nostri Bucaneve Doria come facciamo da 50 anni. Con Doria siete in buone mani.

Controtendenza: non di moda
Sfornare: togliere dal forno

New economy, new marketing, new technology: tutte queste parole sono in inglese. In Italia usiamo molte parole straniere.

spot: breve filmato pubblicitario
computer: "macchina" elettronica
light: leggero

 11. Guarda ancora i due spot e di' quale biscotto ti piace di più e perché:
Mi piace di più il Doricrem perché c'è il cacao...
Preferisco il Bucaneve perché...

•	Mi piace molto il miele.
◊	Anche a me!
^	A me no!
•	Mi piacciono abbastanza le fette biscottate.
◊	Anche a me!
^	A me no!
•	Non mi piace molto la marmellata.
◊	Neanche a me!
^	A me sì!
•	Non mi piacciono per niente i biscotti!
◊	Neanche a me!
^	A me, sì!

 12. A gruppi di tre, parlate dei vostri gusti su:

Cucina
Colori
Vestiti
Film

 13. Guarda lo slogan:

Con Doria, siete in buone mani.

Cosa vuol dire?
Se non lo sai, guarda queste espressioni e cerca la definizione corrispondente:

Dare una mano a qualcuno
Restare con le mani in mano
Essere in buone mani
Avere le mani bucate
A mano a mano
Di seconda mano

A poco a poco
Aiutare una persona
Non fare niente
Spendere troppo
Usato
Essere al sicuro

 14. Leggi questa ricetta e rispondi alle domande:

Ricetta classica dello Zabaione

Pochi ingredienti per questo raffinato dessert, ottimo da solo servito con biscottini, ma utilizzato anche come guarnizione o base per eleganti preparazioni.

Tempo occorrente	30' circa
Difficoltà	media
Impiego	dessert

INGREDIENTI (per 4 persone)

zucchero semolato	80 g
marsala secco	80 g
uova freschissime	4

Adattato da www.doria.it

PREPARAZIONE

1. Separate i tuorli dagli albumi.

2. Unite ai tuorli lo zucchero e il Marsala.

3. Immergete il recipiente in acqua calda (circa 75°- non deve bollire) su fuoco moderato e cominciate a lavorare con la frusta. Il composto diventa sempre più chiaro e gonfio.

4. Lo zabaione sarà montato

Montare: mescolare finché il composto diventa gonfio

1. Quali sono gli ingredienti per fare lo zabaione?
2. Di che colore è il tuorlo d'uovo?
3. E l'albume?
4. Cosa dobbiamo mettere nell'acqua?
5. Che temperatura massima deve avere l'acqua?
6. Quando è pronto lo zabaione?

15. Come si fa la crema al cioccolato? A partire dagli elementi del riquadro a coppie provate a immaginare la ricetta:

cacao - latte - uova - zucchero semolato - eventualmente liquore - separare - mescolare - montare - mettere sul fuoco - far raffreddare

crema al cioccolato:

16. Qual è secondo voi la colazione più ricca e energetica? Potete far esempi presentando le colazioni tipiche dei vari Paesi. Poi inventate uno spot, anche con disegni e immagini: scrivete i dialoghi, scegliete gli attori e portate gli ingredienti per la colazione. Ogni gruppo recita il suo spot, e gli altri gruppi dicono qual è il migliore.

Insegnante

Unità introduttiva*

Lessico: terminologia relativa alla pubblicità (anche termini anglofoni e neologismi).
Funzioni: conversazione su temi quotidiani, abitudini, scelte negli acquisti e nello stile di vita.

L'unità si sviluppa secondo le seguenti fasi, cercando di affrontare il dove (luoghi della pubblicità), il come (modalità secondo le quali si attua), il perché (scopo della vendita o della trasmissione di un messaggio):

• motivazione (sondaggio e terminologia): attività 1, 2, 3, 4, 5.
• analisi di alcune pubblicità e slogan; creazione di slogan; collegamento con il Paese di provenienza e gioco sugli slogan: attività 8, 9, 10, 11, 12, 13.
• analisi di un testo, lavoro sulla lingua, test finale, lavoro di scrittura: attività 14, 15, 16, 17, 18, 19, 20, 21.

* Tale unità è da considerarsi introduttiva ai tre volumi.
L'insegnante potrà valutare quali attività utilizzare in un livello elementare, intermedio o avanzato.

Mele Melinda

Questo spot pubblicizza le mele Melinda, della Val di Non (www.melinda.it).

I personaggi non parlano (la ragazza dice una volta solo "No!"), si sente solo una musica in sottofondo.

Lessico: nomi di frutti, di alberi, espressioni idiomatiche con nomi di frutti
Funzioni: raccontare una storia al presente e al passato, lamentarsi per un danno subito
Grammatica: *la frutta, il frutto, i frutti*

DURATA SPOT: 30"

SEQUENZE:
[Viso di una ragazza, mangia una mela][Dice: "No!" facendo segno col dito indice] [La ragazza e il suo cagnolino] [La ragazza mette l'etichetta Melinda sulla panchina vicino a un sacchetto con altre mele] [La ragazza è ancora seduta e il cagnolino è sulla panchina accanto a lei] [Arriva un signore che sta facendo jogging, è sudato e stanco, si siede sulla stessa panchina] [La ragazza continua a mangiare] [L'uomo guarda la mela] [La ragazza lo guarda male] [L'uomo si alza] [Il cane lo guarda] [Inquadratura dei pantaloncini con l'etichetta attaccata della mela Melinda] [Il cane guarda di nuovo] [Il cane corre] [L'uomo viene morso dal cane] [Appare la scritta **Melinda vuol dire mordimi**].

Se la classe non conosce ancora il passato prossimo, può svolgere l'attività 10 solo al presente.
Attività 11. Si può chiedere a qualche coppia di recitare il dialogo tra la ragazza e l'uomo.
Attività 13: la soluzione è volutamente ambigua. Gli studenti si confrontano a coppie.i

Numero di visioni per ogni attività video

N. ATTIVITÀ	N. VISIONI	
7	2	I parte spot
8	1	spot intero
9	4	spot intero
10	1	spot intero

Servizio Civile

Si tratta di due spot molto simili, uno ideato per la Tv, l'altro per il cinema. È possibile visitare il sito della Presidenza del Consiglio dei Ministri: www.serviziocivile.it

Lessico: professioni, tempo libero, impegno e volontariato.
Funzioni: chiedere e fornire informazioni sulla professione; parlare del tempo libero.
Grammatica: avverbi ed espressioni di frequenza; preposizioni.

DURATA SPOT 1: 1'30"
DURATA SPOT 2: 45"

SPOT 1
SEQUENZE

I [davanti a una libreria, Luca e Chiara si guardano] [Luca allena bambini in un campo da calcio] [Chiara aggiusta il vestito ad una signora anziana]
II [vari riquadri in cui appaiono scene di Luca con i bambini, Chiara con gli anziani, un anziano che legge] [Chiara riceve un fiore da un anziano] [due riquadri: Luca indossa un berretto a visiera, Chiara guarda l'obiettivo, mentre la voce fuori campo dà informazioni sul Servizio civile] [Scritta: Presidenza del Consiglio dei Ministri. Ufficio nazionale per il servizio civile]

SCRIPT

I Voce fuori campo: "Vi ricordate di Luca e Chiara? Cosa fanno adesso? Luca è un allenatore di successo. Chiara è una stilista molto richiesta."

Il Voce fuori campo: "Sei un obiettore o una ragazza fra i 18 e i 26 anni? Con il Servizio Civile aiuti gli altri, ti prepari al lavoro e fai una scelta che ti cambia la vita."
Luca: "La tua"
Chiara: "E quella degli altri."

SPOT 2
SEQUENZE

I [Scritta: Una scelta che cambia la vita] [Luca gioca a nascondino con i bambini e compare la scritta "avventura"] [Chiara fa ginnastica con gli anziani e compare la scritta "azione"] [Luca abbraccia un bambino e compare la scritta "sentimento"]
II [Chiara parla con anziani, Luca scrive alla lavagna la parola "casa", compare la scritta "Una scelta che cambia la vita"] [Chiara ha in mano una videocassetta e parla con degli anziani] [Luca gioca con i bambini] [Chiara fa giardinaggio con delle signore anziane] [Luca allaccia la scarpa ad un

bambino] [Luca si rotola su un prato con dei bambini] [Chiara legge un libro ad un anziano] [Una bambina dà un bacio a Luca] [Luca e Chiara si guardano; Chiara... "Sai che sei cambiato in meglio"] [Chiara riceve un fiore da un anziano] [due riquadri: Luca indossa un berretto a visiera, Chiara guarda l'obiettivo, mentre la voce fuori campo dà informazioni sul Servizio civile] [Scritta: Presidenza del Consiglio dei Ministri. Ufficio nazionale per il servizio civile]

SCRIPT

I Voce fuori campo: "Una scelta che cambia la vita. Avventura – azione – sentimento. E il protagonista sei tu."
Luca e Chiara: "Io?"
Il Voce fuori campo: "Certo. Un anno con noi passa in fretta, ma resta per tutta la vita. Ti prepari al lavoro, impari ad aiutare gli altri. Pausa.
Se sei un obiettore o una ragazza fra i 18 e i 26 anni, scegli il Servizio Civile."

Chiara: "Lo sai che sei cambiato in meglio?" Voce fuori campo: "Servizio civile: una scelta che cambia la vita."
Chiara: "La tua"
Luca: "E quella degli altri."

Attività 1. (Motivazione) Si consiglia di predisporre un cartellone bianco sul quale scrivere le parole avventura – azione – sentimento – volontariato. Gli studenti possono scrivere liberamente vocaboli per associazione di idee e la discussione può partire da questi vocaboli. Argomenti possibili: lettura, cinema, vita quotidiana, sport, ecc.

Attività 2 e 3. Si consiglia di far ascoltare lo spot tre volte coprendo il video (o facendo girare le sedie) per lasciare agli studenti la possibilità di indovinare di che cosa si tratta. Fare scrivere tutte le ipotesi alla lavagna, in modo che rimangano per poter essere verificate in un secondo tempo.
Attività 9. Ripasso delle preposizioni. Stimolare gli studenti a usare preposizioni diverse, dato che più di una variante è possibile.
10. Gioco. In alternativa a questo gioco "parlato", se il livello degli studenti è molto basso si può proporre il gioco dei mimi e poi scrivere alla lavagna i verbi e le

frasi mimate, raggiungendo ugualmente l'obiettivo di conoscere il vocabolario relativo.
20. Riproporre il filmato togliendo l'audio, in modo che i gruppi, dopo aver "provato" tra loro, possano esibirsi nel doppiaggio. Sottolineare l'importanza dell'intonazione.

Numero di visioni per ogni attività video

N. ATTIVITÀ	N. VISIONI	
2	3	I parte spot 1
3	3	I parte spot 2
4	2	I parte spot 1 e spot 2
11	1	I parte spot 1 e spot 2
14	2	II parte spot 1 e spot 2
16	2	spot interi con breve pausa in mezzo
20	1	spot interi (senza audio)

Salumi Beretta

Gli spot pubblicizzano diversi salumi Beretta, secondo la stessa idea: una telecamera posizionata all'interno di un frigorifero inquadra l'espressione smarrita del protagonista, che cerca speranzoso i salumi Beretta, ma l'astuto familiare di turno (voce fuori scena) riesce con frasi spiazzanti a distogliere la sua attenzione dalla ricerca. È possibile visitare il sito: www.fratelliberetta.com

Lessico: prodotti alimentari
Funzioni: esprimere sorpresa, delusione, insofferenza attraverso l'intonazione
Grammatica: *c'è, ci sono*/ partitivi/ presente indicativo verbi III coniugazione

DURATA DI OGNI SPOT: 10/15"

SPOT 1
SEQUENZE
[un ragazzo di circa 30 anni apre il frigo. Si vedono: due cartoni di birra con gli affettati incollati dietro con lo scotch, una lattuga, una confezione di maionese] [il ragazzo spaventato richiude il frigo]
SCRIPT
- Amore hai comprato gli affettati Beretta?
- Non ancora.
- Allora mi faccio una birra!
- No, lì no!!
Voce off: Salumi Beretta, spariscono in fretta
SPOT 2
SEQUENZE
[un uomo apre il frigo. Si vedono delle verdure, dei pomodori, del grana dietro il quale sono nascosti i salaminini Beretta] [l'uomo molto confuso chiude il frigo]
SCRIPT
- Cara, i salamini Beretta?
- Li ha mangiati tuo figlio
- Abbiamo un figlio?!

- Ma no, dai, lì dietro il grana
- Un figlio dietro il grana?!
Voce off: Salumi Beretta, spariscono in fretta
SPOT 3
SEQUENZE
[un ragazzo di 25 anni circa apre il frigo. Si vedono: due contenitori ermetici dietro il quale è nascosto il prosciutto, dei peperoni rossi e gialli, delle uova e della senape o maionese] [il ragazzo fa il verso stizzito a quello che dice la madre, alza gli occhi al cielo e chiude innervosito]
SCRIPT
-Dov'è il prosciutto cotto Beretta?
-Ah non lo so, non devo mica sapere sempre tutto io, questa casa, carino, non è un albergo...
Voce off: Salumi Beretta, spariscono in fretta
SPOT 4
SEQUENZE
[un ragazzo di circa 25 anni apre il frigo. Si vedono due contenitori ermetici dietro i quali è nascosto il prosciutto cotto Beretta e due peperoni uno rosso e uno giallo,

delle uova] [il ragazzo deluso chiude il frigo]
SCRIPT
-E il prosciutto cotto Beretta?
-Finito!
Voce off: Salumi Beretta, spariscono in fretta
SPOT 5
SEQUENZE
[un ragazzo apre il frigo: si vedono un sacchetto di carta con delle verdure dietro le quali è incollato l'antipasto Beretta, una bottiglia d'acqua minerale, dei limoni, una carota, un uovo] [il ragazzo perplesso chiude il frigo]
SCRIPT
-E l'antipasto Beretta?
-Eh l'hai mangiato tu ieri
-...ieri?!
Voce off: Salumi Beretta, spariscono in fretta
SPOT 6
SEQUENZE
[una donna di 35 anni circa apre il frigo parlando al telefono con la mamma. Si vedono: dei contenitori ermetici dietro i quali sono incollati i cubetti B, tre cetrioli, due bottiglie di vino

bianco, dei vasetti di qualcosa, delle uova] [arrabbiata chiude il frigo]

SCRIPT

-Mamma, eh, dove hai messo i cubetti Beretta? eh devo fare la carbonara... come ci vanno i cetrioli, nella carbonara?, ma sei impazzita!!

Voce off: Salumi Beretta, spariscono in fretta

SPOT 7
SEQUENZE

[ragazzo di 16-18 anni apre il frigo. Si vedono delle uova, del formaggio, due contenitori ermetici dietro i quali si nasconde il prosciutto Beretta, un vasetto di qualcosa]

SCRIPT

Nonna,
-Che c'é?
-Ma il prosciutto cotto Beretta?
-L'ha preso tuo fratello
-Ma io non so' figlio unico?!
-Mannaggia!

Voce off: Salumi Beretta, spariscono in fretta

SPOT 8
SEQUENZE

[ragazzo di 18 –20 anni apre il frigo. Si vedono una lattuga, dei peperoni e una bottiglia di champagne dietro il quale sono nascosti i salumi beretta, delle uova, della senape] [il ragazzo confuso chiude il frigo]

SCRIPT

-Ma papà il cacciatore Beretta?-
-Ma non ce l'hai la fidanzata? Sempre con sta' fissa del salame!
Esci un po'.

Voce off: Salumi Beretta, spariscono in fretta

SPOT 9
SEQUENZE

[frigo chiuso. Si vedono: una

confezione di lattuga lavata dietro la quale è incollato il prosciutto crudo beretta, una bottiglia di latte, dei vasetti di qualcosa, delle uova] [ragazzo di 25-30 anni apre il frigo e guarda con attenzione] [chiude il frigo perplesso] [altro ragazzo apre il frigo e controlla che il prosciutto sia ancora al suo posto]

SCRIPT

-Mah!

Voce off: Salumi Beretta, spariscono in fretta

SPOT 10
SEQUENZE

[uomo apre il frigo. Si vedono; due contenitori ermetici dietro i quali è nascosto il prosciutto cotto due peperoni gialli e rossi, uova] [cerca con attenzione]

[chiude il frigo perplesso]

SCRIPT

-Boh?

Voce off: Salumi Beretta, spariscono in fretta

SPOT 11
SEQUENZE

[un ragazzo giovane apre il frigo. Si vedono un vasetto di olive dietro cui è incollato il salame, tre arance, due bottiglie di spumante, dell'insalata, del formaggio, delle uova, dei vasetti di qualcosa, dei succhi di frutta] [guarda sorpreso dentro il frigo e chiude]

SCRIPT

-E i salamini Beretta?
-Guarda! Babbo natale con la slitta!... Ma non lì! Fuori

Voce off: Salumi Beretta, spariscono in fretta

Numero di visioni per ogni attività video

N. ATTIVITÀ	N. VISIONI
6	1 tutti gli spot
7	1 "
8	2 "
9	1 "
11	1 (con pausa tra gli spot)
12	1 tutti gli spot
13	2 x ogni singolo spot
14	1 tutti gli spot

Soluzioni: Att. 1: 1/E 2/G 3/H 4/D 5/A 6/F 7/B 8/C

Att. 11

Spot	Persona che cerca i salumi	Persona che non vuole dare i salumi	Salame pubblicizzato
1	Marito	Moglie	Affettati
2	Marito	Moglie	Salamini
3	Figlio	Madre	Prosciutto cotto
4	-	-	Prosciutto cotto
5	Marito	Moglie	Antipasto
6	Figlia	Madre	Cubetti di pancetta
7	Nipote	Nonna	Prosciutto cotto
8	Figlio	Padre	Cacciatore (salame)
9	-	-	Prosciutto cotto
10	-	-	Prosciutto crudo
11	Marito	Moglie	Salamini

Prosciutto di Parma

Lo spot pubblicizza il Prosciutto del Consorzio di Parma, sottolineando l'importanza del marchio presente su ciascun prosciutto. È possibile visitare il sito www.prosciuttodiparma.it

Lessico: la casa, il clima, descrizione delle persone.
Funzioni: parlare del tempo, descrivere un ambiente e una persona.

DURATA SPOT: 32"

SCRIPT: vedi sequenze

SEQUENZE

I: [interno di villa elegante e raffinata] [fuori imperversa la burrasca] [solo un gatto nero è presente] [Crudelia, elegantissima, entra nella stanza chiamando "Vito" (il gatto) con voce sgraziata] [Vito cerca di sfuggirle, ma lei riesce ad afferrarlo per la collottola] [si intuisce che vuole lanciarlo dalla finestra, ma compare un piatto di crudo accompagnato da una voce femminile che dice: "Prosciutto crudo del Consorzio di Parma?"]

II: [Crudelia ne assaggia una fetta e ... miracolo! Si trasforma in una dolce fanciulla] [una voce maschile fuori campo dice: "La dolcezza fa miracoli, e quello dolce è il crudo di Parma. Garantisce il Consorzio!"] [come ultima immagine, Crudelia trasformata mangia prosciutto accarezzando Vito]

Numero di visioni per ogni attività video

N. ATTIVITÀ	N. VISIONI
4	2 I parte
7	1 I parte
13	1 I parte
15	1 I parte
16	2 II parte

Biscotti Doria

Questo spot pubblicizza i biscotti Doria, una marca molto famosa in Italia, che esiste da più di 50 anni (www.doria.it).

Lessico: la tavola, la prima colazione
Funzioni: parlare dei propri gusti / leggere e scrivere una ricetta / espressioni idiomatiche con "mano"
Grammatica: *mi piace, mi piacciono/anche a me, neanche a me, a me sì, a me no*

DURATA SPOT 1: 15"
DURATA SPOT 2: 2'15"

SPOT 1
SEQUENZE
[Teiera, lattiera, tazze bianche] [biscotti Doricream su un piatto] [una mano ne prende uno] [un uovo che si rompe] [ciotola piena di zabaione] [guscio d'uovo sopra la ciotola] [cucchiaio di legno che mescola lo zabaione] [zabaione su un biscotto] [tavola con biscotti Doricream]
SCRIPT
Interrompiamo la pubblicità per comunicarvi che oggi c'è un nuovo Doricream , biscotto al cacao farcito di morbida crema allo zabaione. È pubblicità anche questa sì ma buona, molto buona. Con Doria, siete in buone mani .

SPOT 2
SEQUENZE
[tavolo di legno con sopra arance, succo d'arancia, bicchiere] [biscotti Bucaneve] [una mano ne prende uno] [pacco di biscotti Bucaneve]
SCRIPT
New economy, new marketing, new technology, chiamatela pure controtendenza ma noi rimaniamo attaccati alla tradizione della bontà e sforniamo sempre i nostri Bucaneve Doria come facciamo da 50 anni. Con Doria siete in buone mani.

Numero di visioni per ogni attività video

N. ATTIVITÀ	N. VISIONI	
5	2	spot 1
6	3	spot 1
8	3	spot 2
9	1	spot 2
11	1	spot 1 e spot 2 (con pausa tra gli spot)

Finito di stampare nel mese di settembre 2004
da Guerra guru s.r.l. - Via A. Manna, 25 - 06132 Perugia
Tel. +39 075 5289090 - Fax +39 075 5288244
E-mail: geinfo@guerra-edizioni.com